TOSCANINI

TEATRO ALLA SCALA
LA RIAPERTURA / THE REOPENING /
DIE WIEDERÖFFNUNG

LA GAZZA LADRA

GUGLIELMO TELL

MOSÈ

NABUCCO

I VESPRI SICILIANI

TE DEUM

MANON LESCAUT

MEFISTOFELE

Toscanini
Teatro alla Scala: La riapertura – 11 maggio 1946
The Reopening – 11 May 1946
Die Wiedereröffnung – 11. Mai 1946
Edizione speciale della collana / *Special Edition of the Collection / Sonderausgabe in der Reihe:*
La Scala Memories

Editore / *Publisher / Verlag:* Skira Classica srl
Coordinamento editoriale / *Editorial coordination / Redaktionelle Koordination:* Franco Pulcini
Responsabile produzione / *Production manager / Produktionsleitung:* Joelle Williams
Editing / *Textbearbeitung:* Eleonora Giulia Bianchi
Editing cd / *CD-Bearbeitung:* Riccardo Cassani
Traduzione in tedesco / *German translation / Übersetzung ins Deutsche:* Hanna Luisa Carvalho Schnell

Design + art direction: Bruno Stucchi – dinamomilano

ISBN 978-88-6544-0407

Utilizzo di fotografie e materiale iconografico su concessione della Fondazione Teatro alla Scala, Milano
Use of photographs and iconographical material courtesy of La Scala Theatre Foundation, Milan.
Wiedergabe des Foto- und Bildmaterials mit freundlicher Genehmigung der Stiftung Fondazione Teatro alla Scala, Mailand

Fotografie di / *Photographs by / Fotos:*
Erio Piccagliani © Teatro alla Scala

Toscanini Teatro alla Scala: La riapertura – 11 maggio 1946
Musiche di / *Music by / Mit Werken von* Gioachino Rossini, Giuseppe Verdi, Giacomo Puccini, Arrigo Boito

Copyright 2017 Skira Classica srl

TOSCANINI

TEATRO ALLA SCALA
LA RIAPERTURA / THE REOPENING / DIE WIEDERÖFFNUNG

INDICE / CONTENTS / INHALT

TOSCANINI

TEATRO ALLA SCALA
LA RIAPERTURA / THE REOPENING /
DIE WIEDERÖFFNUNG

INTRODUZIONE

INTRODUCTION

EINFÜHRUNG

di / by / von Giovanni Gavazzeni

"RITORNI TOSCANINI".
RIAPERTURA DELLA SCALA,
11 MAGGIO 1946.

DI GIOVANNI GAVAZZENI

Dopo il 25 luglio 1943, con la caduta di Mussolini decreta-
ta dal Gran Consiglio del Fascismo e il suo arresto al Gran
Sasso, apparvero sullo spazio delle locandine della Scala alcune
"pecette" che inneggiavano al Grande Assente, Arturo Toscanini. "Ritorni Toscanini". "Evviva Toscanini".
Da New York il Maestro affidava alle colonne di "Life" un vi-
brante appello agli Americani affinché il Presidente Roosevelt
e gli Alleati consentissero all'Italia un'onorevole cobelligeranza
che riscattasse la scellerata alleanza con il nazismo e castigas-
se quanti erano stati responsabili della tirannia, Casa Savoia in
primis.
Le cose non andarono come desiderava il Maestro: Badoglio
trattava la resa senza condizioni e Mussolini fondava la Repub-
blica Sociale Italiana consegnandosi completamente ai nazisti.
Passeranno ancora due interminabili anni prima della Liberazione, con le pagine dolorose e sanguinarie della guerra civile che sappiamo. Arresti, torture, agguati, rappresaglie, fughe,
esili. Anche l'avvocato Franco Dameno che aveva coraggiosa-
mente affisso i manifestini sarà arrestato e malmenato. Proprio
a poche centinaia di metri dalla Scala, all'angolo fra via Santa
Margherita e via Pellico, la centrale degli orrori, l'hotel Regina,
sede del comando delle SS e della Gestapo.
Dopo la fiammata di speranza del luglio '43 cominciò il castigo
dal cielo. «Nelle desolate, terribili giornate dell'agosto 1943,
Milano fu violentata da 2450 tonnellate di bombe e spezzoni in-
cendiari; 1033 morti; il 23 per cento delle case rase al suolo e un
altro 36 per cento dissestate; 239 fabbriche colpite; quattrocen-

tomila senza tetto.» Così il giornalista Guido Vergani riassume il frutto dei bombardamenti alleati prima che il governo Badoglio firmasse l'Armistizio e il Re Vittorio Emanuele III abbandonasse il suo popolo.

Nell'ultimo bombardamento, la sera fra il 15 e il 16 agosto, sei ondate colpirono la zona intorno al Duomo. «E là, in mezzo, la Scala, il simbolo, la memoria storica della città, apparentemente intatta, se non fosse per la rovina del tetto, ma dentro una buccia vuota.»

Al momento della Liberazione, Milano mancava quasi di tutto. Il sindaco Antonio Greppi promise: "Pane e Scala". Primo passo: chiamare Toscanini, il solo che con la sua autorità morale e artistica, potesse "riconsacrare" il teatro alla musica e la città alla vita civile. All'invito il Maestro rispose subito allegando un assegno di un milione di lire per la ricostruzione (nelle casse del Comune di allora c'erano solo cinque milioni in tutto). Il suo esempio fu seguito da alcune famiglie milanesi che vollero mantenere, con lombardo riserbo, l'anonimato.

Oltre alla volontà di Greppi, gli artefici di quel miracolo (il teatro fu ricostruito nel giro di un anno) furono il Commissario straordinario della Scala, Antonio Ghiringhelli (poi Sovrintendente per ventisette anni, fino al '72) e l'ingegner Luigi Lorenzo Secchi, ripristinatore della volta e di tutte le parti gravemente danneggiate. Una commissione tecnica, colma di toscaniniani di provata fede (Cesare Albertini, Alfredo Amman, Luigi Ansbacher, Cesare Bacchini, Natale Gallini, Mario Gonzales, Giovanni Falck, Ettorina Mazzucchelli, Ernesto Moizzi, Marco Semenza, Enrico Tabanelli, Ferdinando Tagliabue, Guido Vanzetti), appianò controversie burocratiche e statutarie. Last but not least, ci fu il lavoro delle maestranze del teatro.

Ricordava lo storico direttore degli allestimenti della Scala, Nicola Benois (fra i primi a entrare nella sala devastata con le lacrime agli occhi): «Lavoravamo ventiquattro ore su ventiquattro, eravamo una famiglia, mangiavamo e ci riposavamo lì, per la rinascita della Scala avremmo fatto tutto.»

Il resto è leggenda. Dall'impazienza di Toscanini a visitare subito la sala, mentre Ghiringhelli tenta di temporeggiare, al Maestro che taglia corto: siamo come due vecchi amanti, non importa se vedo la Scala spettinata o in vestaglia.

Quando il grande vecchio entrò nella platea in penombra, gli elettricisti aprirono di colpo tutte le luci «rovesciando torrenti di luce sul quel piccolo uomo vestito di scuro, immobile e solo là in mezzo. Era il saluto della Scala. Egli batté le mani, poi risalì a raggiungere gli altri. "È sempre la mia Scala"» (Filippo Sacchi).

Alcuni fedelissimi orchestrali in pensione chiedono e ottengono dal Maestro di poter partecipare al concerto. Durante le prove Toscanini dice ad Antonino Votto, tornato a fargli da sostituto, che per la seconda parte del concerto ("quando viene quello lì con la sua Manon" – parlava di Giacomo Puccini – "ci vuole più peso"), serviva più polpa d'arco.

Votto sottopone anche al Maestro i solisti vocali. Ci sono voci che conosce molto bene: l'onnipotente basso Tancredi Pasero (Mefistofele), il soprano Mafalda Favero (Manon) che Toscanini ricordava come soprano leggero, e dopo vent'anni, è diventata voce più drammatica; il baritono Mariano Stabile, suo storico Falstaff anteguerra, accetta subito la pur limitata parte di Lescaut («Per il Maestro canterei anche solo "la cena è pronta"») e nella parte pittoresca del Lampionaio ebbro, Giuseppe Nessi, comprimario irrinunciabile per Toscanini che lo volle sempre in tutti i Falstaff come Bardolfo. Nessi fu l'unico cantante preso sottobraccio dal Maestro, a fine prova ("Andiamo, vecchio amico"). Toscanini pur non conoscendo Giovanni Malipiero (Des Grieux), rimase entusiasta dello squillo e della pronuncia del tenore padovano.

Quella sera dell'11 maggio '46 ci fu anche un debutto scaligero: Toscanini, dopo un'audizione nella famosa Sala Gialla, volle

Renata Tebaldi per la preghiera del Mosè e nella triplice invocazione finale del Te Deum di Verdi (In te Domine, speravi). Dopo dubbi di assestamento, Toscanini indicò che la giovane soprano cantasse in cima alla gradinata del coro: "Che questa voce d'angelo scenda veramente dal cielo!" Quella sera storica fu per Renata Tebaldi seduta di laurea e principio d'una indimenticabile carriera.

Per guidare il coro fu richiamato Vittore Veneziani, già Maestro del Coro scaligero dal '21 al '38, allontanato a seguito delle inique "leggi razziali" antisemite dal Sovrintendente Jenner Mataloni. Veneziani, gran maestro del "colore", ben conosceva l'arte dei "rinforzi" corali per ottenere quegli effetti colossali nelle falangi celesti boitiane e quella ricchezza armonica nel sacro verdiano che il Maestro desiderava.

Il programma scelto da Toscanini per il concerto della Riapertura aveva un denominatore comune fortissimo: era al tempo stesso un'incitazione al riscatto e una proclamazione della dignità nazionale attraverso le opere di quattro compositori emblematici: Rossini, Verdi, Boito e Puccini.

Fatto straordinario, escluso Rossini, Toscanini aveva conosciuto personalmente tutti e tre i musicisti. Verdi fu il suo Nume tutelare e Arrigo Boito, grande collaboratore verdiano, godeva dell'amicizia e della riconoscenza di Toscanini (Boito fu uno dei primi e più autorevoli sostenitori di Toscanini alla Scala).

La prima parte si apriva con «il tamburo e la vitalità impetuosa della Gazza ladra», poi «la confluenza di civile e sacro con la grande preghiera del Mosè, "Dal tuo stellato soglio", l'epopea patriottica [con i ballabili e il coro dell'Imeneo] del Guglielmo Tell, l'inno nazionale alternativo di sempre, "Va' pensiero" dal Nabucco, l'ouverture dei Vespri siciliani, il Te Deum solenne (...)» (Lorenzo Arruga).

La seconda parte era interamente occupata dal terzo atto (preceduto dal celebre Intermezzo) di *Manon Lescaut*, l'opera di

Puccini che Toscanini amava senza riserve e che nell'esecuzione del '23 diede all'Autore (per sua ammissione) la più grande gioia esecutiva della sua vita. Chiudeva la terza ed ultima parte, lo spettacolare capolavoro di Boito, il Prologo del *Mefistofele*, titolo amatissimo che sanciva nell'opera italiana «la nuova alleanza fra musica e intellettuali, con quella radice scapigliata lombarda che sentiva propria anche Toscanini: tripudio di nimbi volanti fra nuvole in cui s'affaccia Mefistofele in vena d'un difficile dialogo con l'Eterno, auspice Goethe di lontano» (Arruga).

Quella sera dell'11 maggio 1946 tutti volevano essere presenti. C'erano le "cento famiglie" della borghesia milanese e i politici integerrimi della Liberazione come il leader socialista Pietro Nenni e il Senatore Ferruccio Parri, c'erano antichi ammiratori e giovani che non avevano mai sentito Toscanini, c'era perfino chi attribuiva tutto il delirante entusiasmo di quelle giornate a un fenomeno di suggestione collettiva.

Uno dei decani della critica musicale, Eugenio Gara, ammetteva quella "suggestione". Era la "magia" compiuta da un uomo senza età, capace in un sol colpo di cancellare guerre e distruzioni. «Tutto, come se il fardello pesante che ti opprimeva fosse stato ritirato dalla "maschera", all'ingresso. E quando poi, finalmente, cento e cento voci ti vengono incontro col pianto di O mia patria sì bella e perduta, tu cominci a capire che se ancora in Italia e nel mondo si vuol salvare qualcosa, non c'è veramente che un mezzo: raccogliere quell'invocazione, asciugare quel pianto: decidersi – in nome di Verdi, di Toscanini, di Veneziani, di tutti quei melodiosi mediatori del coro e dell'orchestra – decidersi a farla finita una buona volta con gli orrori e con gli odii.»

Ancora oggi, settant'anni dopo quella sera decisiva, Milano e l'Italia tutta si riconoscono in Arturo Toscanini e nella Scala.

"COME BACK TOSCANINI".
THE REOPENING OF LA SCALA,
11 MAY 1946

BY GIOVANNI GAVAZZENI

After the fall of Mussolini on 25 July 1943, brought about by the Fascist Grand Council, and his arrest in Gran Sasso, comments appeared on La Scala's billboards in praise of Arturo Toscanini lamenting his absence: "Come back Toscanini", "Long live Toscanini".

From New York, the Maestro wrote a heartfelt appeal in the columns of "Life" magazine. In it he asked the Americans and indirectly President Roosevelt and the Allies to let Italy take up an honourable role as a co-belligerent to redeem itself after its iniquitous alliance with Nazism and to punish those who were responsible for the tyranny, the House of Savoy in particular.

Things did not go as the Maestro wanted: Badoglio negotiated a surrender with no conditions and Mussolini founded the Italian Social Republic putting himself totally into the hands of the Nazis. Two very long years went by before the Liberation. During this time, the painful and bloody pages of the civil war unfolded with arrests, torture, ambushes, reprisals, escapes, and exiles. Franco Dameno, the lawyer who bravely posted the comments about Toscanini, was also arrested and beaten up. And just a few hundred metres from La Scala, on the corner of Via Santa Margherita and Via Pellico, stood the terrifying headquarters of the SS and the Gestapo in the Hotel Regina.

After the flame of hope in July 1943 came the punishment from the skies. "In the terrible desolate days of August 1943, Milan was devastated by 2,450 tons of bombs and incendiary devices; 1,033 people died; 23 per cent of houses were razed to the ground and a further 36 per cent were damaged; 239 factories were hit; and 400,000 people were made homeless." This is how the journalist Guido Vergani summarized the result of the allied bombing before the Badoglio government signed the armistice and King Victor Emanuel III abandoned his people.

In the last bombing raid on the night between the 15 and 16 August, six waves hit the area around the cathedral. "And there, in the middle, La Scala, the symbol, the historic memory of the city, apparently intact, apart from some damage to the roof, but it was a hollow shell."

By the time it was liberated Milan had run out of almost everything. Mayor Antonio Greppi promised "Bread and La Scala". The first step was to call Toscanini, the only one with the moral and artistic authority who could "reconsecrate" the opera house and the city to civilian life. The Maestro replied immediately sending a cheque for a million lire to go towards rebuilding (at the time the city's total funds amounted to five million lire). Some Milanese families took their cue from him but chose with Lombard reserve to remain anonymous.

In addition to Greppi, those involved in working this miracle (the theatre was rebuilt in just a year) included the special commissioner at La Scala, Antonio Ghiringhelli (who went on to become the general manager for 26 years, until 1972) and engineer Luigi Lorenzo Secchi, who restored the ceiling and all the badly damaged areas. A technical committee, full of tried and tested supporters of Toscanini (Cesare Albertini, Alfredo Amman, Luigi Ansbacher, Cesare Bacchini, Natale Gallini, Mario Gonzales, Giovanni Falck, Ettorina Mazzucchelli, Ernesto Moizzi, Marco Semenza, Enrico Tabanelli, Ferdinando Tagliabue, Guido Vanzetti), smoothed out bureaucratic and statutory wrinkles. Last but not least was the work of La Scala's skilled craftsmen and craftswomen.

Nicola Benois, the stage designer at La Scala at the time (one of the first to set foot in the devastated auditorium with tears in his eyes) recalled, "We worked round the clock, we were a family, we ate and we slept there, we'd have done anything to bring La Scala back to life."

The rest is history such as Toscanini's impatience to go and see the auditorium immediately, while Ghiringhelli tried to put him off until

Toscanini interrupted brusquely to say, "We are like two old lovers, it doesn't matter if I see her with her hair uncombed or in her dressing gown".

When the grand old man walked onto the dimly-lit stage, the electricians suddenly turned on all the lights "sending light cascading down on that small man dressed in black, standing immobile and alone in the middle. It was La Scala's greeting to him. He applauded, then went to join the others. "It's still my La Scala" " (Filippo Sacchi).

Some loyal old retired members of the orchestra got permission from the Maestro to take part in the concert. During rehearsals Toscanini said to Antonino Votto, who had come back to be his replacement in the second part of the concert ("when that fellow comes along with his Manon" – he was talking about Giacomo Puccini – "something stronger was called for"), a more robust approach was needed.

Votto also presented the voice soloists to the Maestro. There were voices he knew very well: the omnipotent bass Tancredi Pasero (Mefistofele); the soprano Mafalda Favero (Manon) who Toscanini recalled as a light soprano, twenty years later had a more dramatic voice; the baritone Mariano Stabile (known for his historic pre-war Falstaff) immediately accepted the fairly small part of Lescaut ("If the Maestro asked me to sing dinner's ready I'd do it"); and the colourful part of the drunk Lamplighter was undertaken by Giuseppe Nessi, the undeniable supporting soloist for Toscanini who always wanted him in all his Falstaffs as Bardolfo. Nessi was the only singer the Maestro took by the arm at the end of rehearsals ("Let's go, old friend."). Although Toscanini did not know Giovanni Malipiero (Des Grieux), he loved the Paduan tenor's squillo and diction.

Another singer made her debut at La Scala on that evening of 11 May 1946: after auditioning her in the famous Sala Gialla, Toscanini chose Renata Tebaldi to sing the prayer of Moses in the triple final invocation of the Te Deum by Verdi (In te Domine, speravi). On clearing up a few doubts, Toscanini decided that the young soprano should sing from the top tier of the choir: "Let this voice of an angel actually come down to us from heaven!" That historic evening was Renata Tebaldi's passing out parade and the beginning of an unforgettable career.

Vittore Veneziani was called back to direct the choir. He had been choirmaster at La Scala from 1921 to 1938, and then following the iniquitous anti-Semitic "racial laws" he was dismissed by the general manager Jenner Mataloni. Veneziani, the great master of "colour", was well acquainted with the art of choral reinforcement in order to obtain those colossal effects with Boito's celestial phalanxes and the harmonic richness of Verdi's religious works which Toscanini desired.

The pieces in Toscanini's concert programme for the Reopening were linked by a very strong common denominator: they were an exhortation to embrace freedom and a proclamation of national dignity expressed in the work of four emblematic composers, Rossini, Verdi, Boito and Puccini. Apart from Rossini, Toscanini had personally met all the composers. Verdi was his guiding light and Arrigo Boito, who often worked with Verdi, enjoyed Toscanini's recognition and friendship (Boito was one of the first and most authoritative supporters of Toscanini at La Scala).

The first part opened with "the drum and impetuous vitality of the *Gazza Ladra*", then "the confluence of lay and sacred with Moses' great prayer, "Dal tuo stellato soglio", the patriotic epic tale [with the ballabili and the Coro dell'Imeneo] of *Guglielmo Tell*, the ever-popular alternative national anthem "Va' pensiero" from *Nabucco*, the overture of the *Vespri Siciliani*, the Te Deum (…)" (Lorenzo Arruga).

The second part was entirely taken up with the third act (preceded by the famous Intermezzo) of *Manon Lescaut*, the opera by Puccini, which Toscanini loved unreservedly and which in the performance in 1923 gave the author (on his own admission) the greatest joy of his musical career. The third and final part of the concert consisted of Boito's spectacular masterpiece, the Prologue from *Mefistofele*, a much-loved piece that sanctioned in Italian opera "the new alliance between music and intellectuals, with its roots in the Lombardy Scapigliatura movement to which Toscanini also subscribed: a heavenly host floats among clouds through which Mefistofele appears involved in a difficult conversation with God, with Goethe a distant presence" (Arruga).

On that evening of 11 May 1946 everyone wanted to be there. There were the 'hundred families' from Milanese society and the upright honest politicians of the Liberation such as the Socialist leader Pietro Nenni and Senator Ferruccio Parri; there were ancient admirers and young people who had never seen Toscanini; there were even some who attributed all the wild enthusiasm of those days to the power of mass suggestion.

One of the doyens of music criticism, Eugenio Gara acknowledged the idea of "suggestion". It was "magic" carried out by an ageless man, capable in just one stroke of eliminating war and destruction – "Everything, as if the heavy burden that oppressed you had been removed by the "usherette" at the entrance. And then when, finally, hundreds of voices come to meet you with the cry of O mia patria sì bella e perduta (O my homeland, so beautiful and lost) you begin to understand that if anything is to be saved in Italy and in the world there is really only one way to do it: to take up that invocation, wipe away the tears and decide – in the name of Verdi, Toscanini, Veneziani, all those melodious mediators in the choir and the orchestra – decide to put an end once and for all to hate and horror."

Seventy years after that decisive evening, the people of Milan and Italy all still identify with Arturo Toscanini and La Scala.

„KOMM ZURÜCK TOSCANINI". WIEDERERÖFFNUNG DER SCALA, 11. MAI 1946.

VON GIOVANNI GAVAZZENI

Nach dem 25. Juli 1943, dem Tag der Absetzung Mussolinis durch den Großen Faschistischen Rat und seiner Verhaftung am Gran Sasso, tauchten auf den Plakaten des Theaters einige Aufkleber auf, die den „großen Abwesenden", Arturo Toscanini, hymnisch priesen. „Komm zurück, Toscanini". „Es lebe Toscanini".

Von New York aus richtete der Maestro in der Kolumne der Zeitschrift „Life" einen flammenden Appell an die Amerikaner, demzufolge Präsident Roosevelt und die Alliierten Italien eine ehrenwerte Kriegsführung gestatten sollten, um sich von der ruchlosen Allianz mit dem Nationalsozialismus zu befreien und diejenigen zu verhaften, die für die Tyrannei verantwortlich waren, an erster Stelle das Haus Savoyen.

Die Dinge verliefen nicht so, wie es sich der Maestro gewünscht hatte: Badoglio stellte bei der Kapitulation keine Bedingungen und Mussolini gründete die Italienische Sozialrepublik und lieferte sich dabei vollständig den Nationalsozialisten aus. Bis zur Befreiung vergingen noch zwei endlose Jahre, wie wir wissen, mit den schmerzhaften und blutrünstigen Kapiteln des Bürgerkrieges. Verhaftungen, Folterungen, Attentate, Repressalien, Fluchten, Exile. Auch der Anwalt Franco Dameno, der mutig Manifeste aufgehängt hatte, wurde verhaftet und misshandelt. Nur einige hundert Meter vom Theater entfernt, an der Ecke Via Santa Margherita Via Pellico, befand sich das Zentrum des Schreckens, das Hotel Regina, Sitz der Kommandozentrale der SS und der Gestapo.

Nach dem Funken Hoffnung im Juli 1943, begann die Strafe des Himmels. „An den verheerenden und schrecklichen Tagen im August 1943 wurde Mailand von 2450 Tonnen Bomben und Brandbomben verwüstet; es gab 1033 Tote; 23 Prozent der Häuser wurden dem Erdboden gleichgemacht und weitere 36 Prozent waren in einem bedenklichen Zustand; 239 getroffene Fabriken, 400.000 Menschen ohne Dach über dem Kopf." So fasst der Journalist Guido Vergani das Ergebnis der Bombenangriffe der Alliierten zusammen, noch bevor die Regierung Badoglio den Waffenstillstand unterschrieben und König Viktor Emanuel III sein Volk im Stich gelassen hatte.

Beim letzten Bombardement am Abend und in der Nacht vom 15. auf den 16. August, haben mehrere Angriffswellen das Gebiet um den Dom getroffen. „Und dort, mittendrin, die Scala, das Symbol, das historische Gedächtnis der Stadt, die scheinbar bis auf die Zerstörung des Daches intakt geblieben war, jedoch als leere Hülle."

Im Moment der Befreiung fehlte es Mailand praktisch an Allem. Der Bürgermeister Antonio Greppi versprach: „Brot und Scala". Der erste Schritt war, Toscanini anzurufen, den Einzigen, der mit seiner moralischen und künstlerischen Autorität dem Theater wieder die Musik und der Stadt das zivilisierte Leben zurückbringen konnte.

Auf die Einladung antwortete der Maestro sofort, indem er eine Geldüberweisung von einer Million Lire für den Wiederaufbau beifügte (die Stadtkasse verfügte zu jenem Zeitpunkt nur über insgesamt fünf Millionen). Seinem Beispiel folgten einige Mailänder Familien, die mit typisch lombardischer Zurückhaltung anonym bleiben wollten.

Im Sinne Greppis waren weitere Weichensteller dieses Wunders am Werk (das Theater wurde innerhalb eines Jahres wieder aufgebaut), der Sonderbeauftragte der Scala, Antonio Ghiringhelli (danach für 27 Jahre Intendant, bis '72) und Ingenieur Luigi Lorenzo Secchi, der für die Wiederherstellung des Dachgewölbes und aller schwer beschädigten Teile verantwortlich war. Ein technischer Ausschuss, der fast ausschließlich aus treuen Toscanini-Anhängern bestand (Cesare Albertini, Alfredo Amman, Luigi Ansbacher, Cesare Bacchini, Natale Gallini, Marioa Gonzales, Giovanni Falck, Ettorina Mazucchelli, Ernesto Moizzi, Marco Semenza, Enrico Tabanelli, Ferdinando Tagliabue, Guido Vanzetti), konnte bürokratische und statutarische Streitfragen schlichten. Last but not least, gab es die Arbeit der gesamten Beleg-schaft des Theaters.

Der langjährige Leiter der Bühnenausstattung der Scala, Nicola Be-nois berichtete (er zählte zu den Ersten, die den verwüsteten Zuschau-erraum mit Tränen in den Augen betraten): „Wir arbeiteten rund um die Uhr, wir waren eine Familie, wir aßen und ruhten uns dort aus, für die Wiedergeburt der Scala hätten wir alles getan".

Der Rest ist Legende. Von der Ungeduld Toscaninis, der sofort den Zuschauerraum besichtigen wollte, während Ghiringhelli versuchte es hinauszuzögern, bis zu dem Moment, in dem der Maestro bemerkt: „Wir sind wie zwei alte Geliebte, es macht nichts, wenn ich die Scala zerzaust oder im Morgenmantel sehe".

Als der Maestro im Halbdunkel das Parkett betrat, schalteten die Elektriker auf einen Schlag alle Lichter ein und überschütteten diesen kleinen, dunkel gekleideten Mann, der wie versteinert und allein in der Mitte stand, mit Sturzbächen von Licht. Das war die Begrüßung des Maestros. Er schlug die Hände zusammen, dann ging er wieder hi-nauf zu den Anderen und bemerkte: „Es ist immer noch meine Scala" (zitiert Filippo Sacchi den Maestro).

Einige seiner treuesten Orchestermusiker, bereits im Ruhestand, fragen, ob sie beim Konzert mitspielen dürfen und erhalten vom Ma-estro eine Zusage. Während der Proben sagt Toscanini seinem Ersatz-mann Antonino Votto, dass für die zweite Hälfte des Konzerts („wenn der da mit seiner Manon daherkommt," – er meinte damit Giacomo Puccini – „braucht man mehr Gewicht") mehr Substanz im Klang der Streicher gebraucht würden.

Votto ist auch derjenige, der dem Maestro die Sänger präsentiert. Es gibt Stimmen, die er sehr gut kennt: den allmächtigen Bass Tancre-di Pasero (Mephistopheles), den Sopran Mafalda Favero (Manon), die Toscanini als „leichten Koloratursopran" in Erinnerung hatte und die nach zwanzig Jahren eine der dramatischsten Stimmen hatte; der Ba-riton Mariano Stabile, sein langjähriger Falstaff bis vor Kriegsbeginn, nimmt sofort die wenn auch nur kleine Rolle von *Lescaut* an („Für den

Maestro würde ich auch nur das Abendessen ist fertig singen") und in der malerischen Rolle des betrunkenen Lampionaio, Giuseppe Nessi, für Toscanini ein unentbehrlicher Nebendarsteller, den er immer in allen Falstaffproduktionen als Bardolfo haben wollte. Nessi war der einzige Sänger, den der Maestro am Ende der Probe am Arm nahm, („Gehen wir, alter Freund"). Auch wenn Toscanini Giovanni Malipiero (Des Grieux) kaum kannte, war er beim Erklingen seiner Stimme und von der Aussprache des Tenors aus Padua begeistert.

Am Abend des 11. Mai '46, fand ein weiteres Debut an der Scala statt: nach einem Vorsingen im berühmten gelben Saal, wollte Toscanini Renata Tebaldi für das Gebet des Moses und für die letzte dreifache Anrufung des Te Deum von Verdi (In te Domine, speravi). Nach einigen Zweifeln wie sich die Sänger aufstellen sollten, ordnete Toscanini an, dass der junge Sopran von der obersten Stufe, nämlich wo der Chor stand, singen sollte: „Diese Engelsstimme soll wirklich wie vom Himmel herab erklingen!" Dieser historische Abend war für Renata Tebaldi ihre Abschlussprüfung und der Beginn einer unvergesslichen Karriere.

Um den Chor zu leiten, wurde Vittorio Veneziani, Chorleiter der Scala von 1921 bis 1938, erneut berufen, welcher in Folge der unbilligen antisemitischen „Rassengesetze" vom Intendanten Jenner Mataloni entfernt worden war. Veneziani, bekannt als Meister der „Farben", kannte die Kunst der „Verstärkung" des Chors gut, um die kolossale Wirkung der himmlischen Heerscharen von Boito und den harmonischen Reichtum der geistlichen Musik Verdis zu erzielen, die der Maestro wünschte.

Das von Toscanini ausgewählte Konzertprogramm der Wiedereröffnung hatte einen sehr starken gemeinsamen Nenner: Es war eine Aufforderung zur Befreiung und gleichzeitig eine Proklamation der nationalen Würde durch die Werke der vier herausragenden Komponisten Rossini, Verdi, Boito und Puccini.

Eine außergewöhnliche Tatsache ist, dass Toscanini, mit Ausnahme von Rossini, alle drei Komponisten persönlich kennengelernt hat.

Verdi war sein Föderer und Arrigo Boito, ein bedeutender Mitarbeiter Verdis, genoss die Freundschaft und Anerkennung Toscaninis (Boito war einer der ersten und einer der einflussreichsten Unterstützer Toscaninis an der Scala).

Man eröffnete den ersten Teil des Konzerts mit „il tamburo e la vitalità impetuosa della Gazza ladra", danach „das Zusammenfließen von weltlich und geistlich mit dem großen Gebet des Mose, „Dal tuo stellato soglio", das Nationalepos (mit Tanzeinlagen und dem Chor des Hymenaios) des *Wilhelm Tell*, die alternative Nationalhymne des immer aufgeführten „Va' pensiero aus *Nabucco*, der Ouverture der *Vespri siciliani* und dem feierlichen Te Deum (…)" (Lorenzo Arruga).

Den ganzen zweiten Teil des Konzerts belegte der dritte Akt (vorausgegangen war das berühmte Intermezzo) der *Manon Lescaut*, der Oper von Puccini, die Toscanini vorbehaltlos liebte und bei der er in der Aufführung von 1923 dem Komponisten (im Gegenzug zu dessen Genehmigung?) die größte Freude seines Lebens bereitete. Der dritte und letzte Teil wurde vom spektakulären Meisterwerk Boitos abgeschlossen, dem Prolog des Mephistopheles, einem sehr beliebten Titel, der in der italienischen Oper für das neue „Bündnis zwischen Musik und Intellektuellen stand, mit der lombardischen Zügellosigkeit, die besonders auch auf Toscanini zutraf: z.B. mit jubelnden Engelchen auf der Bühne, die zwischen den Wolken hin und her fliegen, in denen sich Mephistopheles zeigt, der sich in einem schwierigen Dialog mit dem Jenseits befindet, der Hohepriester Goethe von Weitem" (Lorenzo Argus).

An jenem Abend des 11. Mai 1946, wollten alle dabei sein. Unter den Anwesenden befanden sich die ‚100 Familien' des Mailänder Großbürgertums und die makellosen Politiker der Befreiung sowie der sozialistische Leader Pietro Nenni und der Senator Ferruccio Parri, es gab auch alte Bewunderer und Jugendliche, die Toscanini noch nie gehört hatten, es gab sogar welche, die den irrsinnigen Enthusiasmus dieser Tage einer Art Massensuggestion zuschrieben.

Einer der Doyens der Musikkritik, Eugenio Gara, gab diese „Suggestion" zu. Es war der „Zauber", der von einem nicht alternden Mann ausging, der fähig war, auf einen Schlag Krieg und Zerstörung auszulöschen „Als ob dir am Eingang vom Platzanweiser („maschera") eine schwere Last, die dich bedrückte, von den Schultern genommen worden wäre. Und wenn dann endlich Hunderte und Aberhunderte Stimmen dich mit ihrem „O mia patria sì bella e perduta", zu Tränen rühren, beginnst du zu verstehen, dass wenn man in Italien und auf dem Rest der Welt noch etwas retten will, es wirklich nur ein einziges Mittel gibt: diesen Geist in sich aufzunehmen, die Tränen zu trocknen: sich zu entscheiden – im Namen Verdis, Toscaninis, Venezianis und aller Mitglieder des Chors und des Orchesters – sich endlich einmal zu entscheiden, Schluss mit dem Schrecken und mit dem Hass zu machen."

Heute noch, siebzig Jahre nach diesem entscheidenden Abend, erkennt sich Mailand und ganz Italien in Arturo Toscanini und in der Scala wieder.

TOSCANINI

TEATRO ALLA SCALA
LA RIAPERTURA / THE REOPENING / DIE WIEDERÖFFNUNG

LA STORIA PER IMMAGINI

THE STORY IN PICTURES

DIE GESCHICHTE IN BILDERN

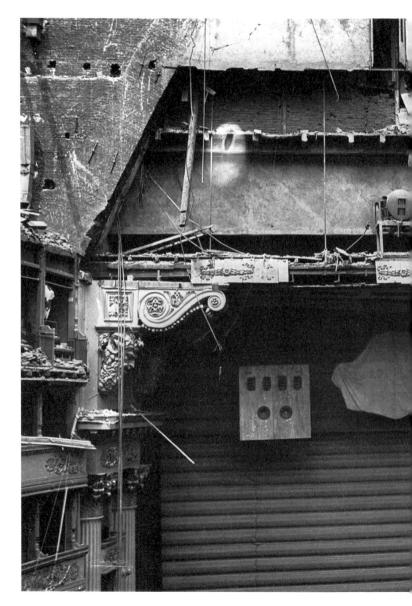

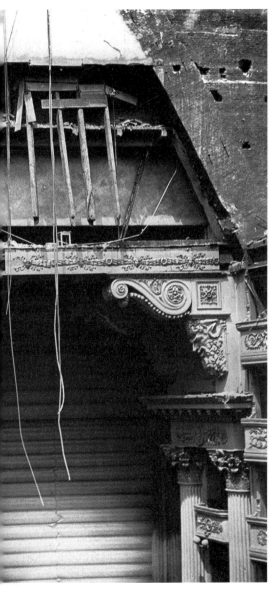

Agosto 1943. Vari attacchi
e ondate successive sganciano
su Milano 2450 tonnellate
di bombe. I morti sono
1033. La sala della Scala fu
sventrata (così si presentava
il boccascena).

*August 1943. Successive waves
of attacks drop 2,450 tons
of bombs on Milan, killing
1,033 people. La Scala opera
house was gutted (this is how
the proscenium looked).*

*August 1943. Bei mehreren
aufeinanderfolgenden
Angriffswellen wurden 2450
Tonnen Bomben auf Mailand
abgeworfen. Es gibt 1033
Tote. Der Zuschauerraum
der Scala wurde aufgerissen
(so präsentierte sich der
Bühnenraum).*

Invano cerchi tra la polvere: / povera mano, la città è morta. / È morta: si è udito l'ultimo rombo sul cuore del Naviglio. / E l'usignolo / è caduto dall'antenna, alta sul convento, dove cantava prima del tramonto.
(Salvatore Quasimodo, "Milano, agosto 1943").

Poor hands / you search through the dust in vain: / the city is dead. / Dead and gone: the last rumbling was heard in the heart of the Naviglio canal. / And the nightingale / fell off the antenna, high above the convent, where it would sing before the setting sun.
(Salvatore Quasimodo, "Milano, agosto 1943").

Vergebens suchst du im Staub, / arme Hand, die Stadt ist tot. / Ist tot: ein letztes Dröhnen / hat man auf dem Herzen des Naviglio / gehört. Und die Nachtigall / ist von der Antenne gefallen, / hoch über dem Kloster, / wo sie beim Einbruch der Dämmerung sang.
(Salvatore Quasimodo, "Milano, agosto 1943" – übersetzt von Christoph Ferber).

«Dal davanti il teatro non sembrava molto danneggiato», constatava il Direttore degli allestimenti scenici della Scala, Nicola Benois. Sulla facciata un cartello indicava all'occupante Esercito tedesco, dov'era la mensa.

"From the front, the theatre didn't seem to have been badly damaged", observed La Scala's set designer Nicola Benois. A sign on the façade directed the occupying German army to the canteen.

„Von vorn schien das Theater nicht sehr beschädigt zu sein", stellte der Leiter der Bühnenausstattung der Scala, Nicola Benois, fest. Ein Schild an der Fassade zeigt der deutschen Besatzungsmacht, wo es zur Mensa ging.

Il Segretario Generale
della Scala, Luigi Oldani
e Nicola Benois furono tra
i primi a entrare in teatro:
«Abbiamo visto e ci siamo
messi a piangere: quello
spettacolo di distruzione era
troppo grande» (Benois).

*The Secretary General
of La Scala, Luigi Oldani,
and Nicola Benois were among
the first to enter the theatre:
"We looked and we wept:
that scene of destruction was
too much." (Benois).*

*Der Generalsekretär der Scala,
Luigi Oldani und Nicola
Benois zählten nach den
Anschlägen zu den ersten,
die das Theater betraten:
„Wir haben alles gesehen und
haben angefangen zu weinen:
der Anblick der Zerstörung war
zu viel" (Benois).*

Appena liberata Milano,
dopo il 25 aprile 1945,
il sindaco Antonio Greppi
(qui con il compositore
Ildebrando Pizzetti),
promise: "Pane e Scala".
La ricostruzione fu compiuta
in tempi miracolosi, un anno.

*On the liberation of Milan
on 25 April 1945 the mayor,
Antonio Greppi (here with
the composer Ildebrando
Pizzetti), promised "Bread
and La Scala". Miraculously
it was rebuilt in just one year.*

*Mailand war kaum befreit,
als der Bürgermeister Antonio
Greppi (hier an der Seite des
Komponisten Ildebrando
Pizzetti) nach dem 25. April 1945
versprach: „Brot und Scala".
Wie durch ein Wunder wurde
das Theater in einem Jahr
wieder aufgebaut.*

Il primo passo del Sindaco Greppi fu invitare Arturo Toscanini, che dall'America rispose con gerosità, avviando, con un milione di lire, una colletta per la ricostruzione.

Greppi's first action as mayor was to invite Arturo Toscanini, who generously replied from America with a million lire to set up a rebuilding fund.

Der erste Schritt von Bürgermeister Greppi war, Arturo Toscanini einzuladen, der sehr großzügig auf seine Anfrage aus Amerika antwortete und eine Geldspende von einer Million Lire für den Wiederaufbau in Gang brachte.

Primo artefice della
ricostruzione, insieme
all'Ingegner Luigi Lorenzo
Secchi, è Antonio Ghiringhelli,
Commissario straordinario,
e poi, per 27 anni, storico
Sovrintendente della Scala
senza stipendio.

*The guiding force behind
the rebuilding, alongside
Luigi Lorenzo Secchi,
was the special commissioner
Antonio Ghiringhelli who
went on to serve for 27 years
as the unpaid general manager
of La Scala.*

*Weichensteller des
Wiederaufbaus in
Zusammenarbeit mit dem
Ingenieur Luigi Lorenzo Secchi,
ist Antonio Ghiringhelli,
"commissario straordinario"
und später für 27 Jahre,
langjähriger nicht honorierter
Intendant der Scala.*

Nicola Benois, Direttore
dell'allestimento scenico
della Scala dal 1937 al 1970,
riassume lo spirito di corpo
scaligero: «Lavoravamo
ventiquattro ore
su ventiquattro, mangiavamo
e dormivamo lì,
per la rinascita della Scala
avremmo fatto tutto.»

*Nicola Benois, stage designer
at La Scala from 1937 to 1970,
summarized the esprit de corps
at La Scala as follows: "We
worked round the clock, eating
and sleeping there. We'd have
done anything to bring La Scala
back to life."*

*Nicola Benois, Leiter der
Bühnenausstattung der
Scala von 1937 bis 1970, fasst
den Corpsgeist der Scala
folgendermaßen zusammen:
„Wir haben rund um die Uhr
gearbeitet, dort gegessen und
geschlafen, für die Wiedergeburt
der Scala hätten wir alles
getan".*

Primi ponteggi nella sala
invasa dalle macerie.
«La prima difficoltà fu quella
di avere a disposizione,
per la ricostruzione del tetto,
le travi in larice necessarie
per costruire le capriate
alla Palladio» (L. L. Secchi).

*The first scaffolding erected
in the rubble-filled auditorium.
"The first problem was getting
hold of timber beams of larch
to build the Palladian trusses
for the roof" (L. L. Secchi).*

*Erstes Baugerüst im
zertrümmerten Zuschauerraum.
„Die erste Schwierigkeit war,
Lärchenholzbalken zu
besorgen, um das beschädigte
Dach nach Art Palladios
wiederherzustellen"
(L. L. Secchi).*

Toscanini scalpita per
vedere la sala; Ghiringhelli
temporeggia. Il Maestro
taglia corto: «Io e la Scala
siamo come vecchi amanti,
non importa se la vedo
spettinata e in vestaglia!»

*Toscanini was eager to see
the auditorium; Ghiringhelli
put him off, forcing the Maestro
to be blunt: "La Scala and I
are like old lovers, it doesn't
matter if I see her with her hair
uncombed and in her dressing
gown!"*

*Toscanini kann es kaum
erwarten, den Zuschauerraum
zu sehen. Ghiringhelli zögert.
Der Maestro macht es kurz:
„Ich und die Scala sind wie
zwei alte Geliebte, es macht
nichts, wenn ich sie zerzaust
und im Morgenmantel sehe!"*

I lavori proseguono
(operai lamano il parquet
del "ridotto" dei palchi)
anche durante le prove,
iniziate il 3 maggio.
Un operaio fischietta.
Toscanini si interrompe
e gli dice: «Voi avete
un buon orecchio,
ma per favore smettete
di fischiare.»

*The work continues (workmen
sand the parquet in the area
outside the boxes) even during
the rehearsals, which got under
way on 3 May. A workman
whistles. Toscanini says to him,
"You have a good ear, but please
stop whistling."*

*Die Arbeiten schreiten auch
während der Proben, die
am 3. Mai begonnen haben,
voran (Arbeiter verlegen das
Parkett im Foyer der Logen).
Ein Arbeiter pfeift. Toscanini
unterbricht sie und sagt ihnen:
„Sie haben ein gutes Gehör,
aber bitte hören Sie auf zu
pfeifen."*

Toscanini con l'aiuto del suo antico "assistente", Antonino Votto, scelse i cantanti. Il protagonista dello spettacolare *Prologo* del *Mefistofele*, sarà Tancredi Pasero, primo basso della Scala da vent'anni. Toscanini lo aveva fatto debuttare nel 1926 come Filippo II in *Don Carlo*.

With the help of his former assistant, Antonino Votto, Toscanini selected the singers. The lead in the spectacular Prologue to Mefistofele, was Tancredi Pasero who had been the leading bass at La Scala for 20 years. He had made his debut with Toscanini in 1926 as Filippo in Don Carlo.

Toscanini suchte sich die Sänger mit Hilfe seines ehemaligen "Assistenten" Antonino Votto aus. Der Hauptdarsteller des spektakulären Prologs des Mefistopheles, *ist Tancredi Pasero, der erste Bass an der Scala seit 20 Jahren. Toscanini ließ ihn im Jahr 1926 als Philipp II im* Don Carlo *debütieren.*

Toscanini ricordava la voce fresca di soprano lirico di Mafalda Favero nei *Maestri cantori* (Eva) e in *Falstaff* (Nannetta). Votto rassicurò il Maestro che "Mafaldina", dopo vent'anni, aveva una voce irrobustita.

Toscanini recalled the youthful soprano voice of Mafalda Favero in the Mastersingers *(Eva) and in Falstaff (Nannetta). Votto assured Toscanini that twenty years later "Mafaldina's" voice had filled out nicely.*

Toscanini erinnerte sich an die frische Stimme des lyrischen Soprans Mafalda Favero in den Meistersingern *(Eva) und im Falstaff (Nannetta). Votto überzeugte Maestro Toscanini, dass "Mafaldina" nach 20 Jahren eine stärkere Stimme hatte.*

Il tenore padovano Giovanni Malipiero, cui spettava la parte vocalmente più pesante nel Terzo Atto della *Manon Lescaut* di Puccini, strappò a Toscanini parole di elogio per la magnifica chiarezza della sua pronuncia.

The Paduan tenor Giovanni Malipiero, who had the most vocally demanding part in the Third Act of Puccini's Manon Lascaut, *had Toscanini singing his praises for his wonderfully clear diction.*

Der Tenor aus Padua Giovanni Malipiero, dessen Aufgabe der stimmlich gesehen schwierigste dritte Akt der Manon Lescaut *von Puccini war, entlockte Toscanini Lob für die wundervolle Klarheit seiner Aussprache.*

Toscanini chiamava
il baritono Mariano Stabile,
il "Pancione". Era stato il suo
Falstaff in sette produzioni
alla Scala, dal '21 al '29,
e poi tre volte al Festival
di Salisburgo, dal '35 al '37.
La parte di Lescaut nel terzo
atto di *Manon* era piccola,
ma "per il Maestro canterei
anche solo la cena è pronta".

*Toscanini called the baritone
Mariano Stabile "Pancione"
(tubby) due to his Falstaff in
seven productions at La Scala
between 1921 and 1929, and
then three performances at the
Salzburg Festival, from 1935 to
1937. The part of Lescaut in the
third act of* Manon *was small,
but "if the Maestro asked me to
sing dinner's ready I'd do it".*

*Toscanini nannte den
Bariton Mariano Stabile
auch "Dickwanst". Er war in
sieben Produktionen an der
Scala sein Falstaff, von 1921
bis 1929 und dreimal bei den
Salzburger Festspielen von 1935
bis 1937. Die Partie von Lescaut
im dritten Akt war kurz, aber
(tat der Sänger kund) „für den
Maestro würde ich auch nur das
Abendessen ist fertig singen".*

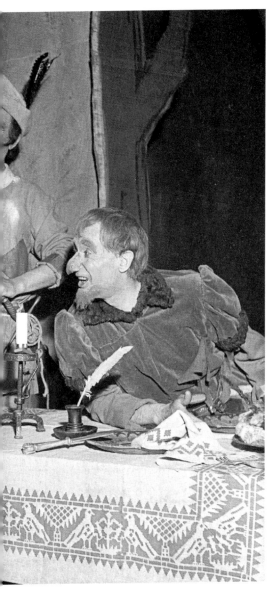

Giuseppe Nessi nella parte di Bardolfo – accanto a Stabile (Falstaff) e Silvio Maionica (Pistola). Toscanini cambiò quasi tutti nei suoi Falstaff (anche Stabile con Giacomo Rimini), mai il Bardolfo di Nessi. Durante le prove del concerto il Maestro era raggiante: dopo 25 anni Nessi "non aveva dimenticato nulla" di quanto insegnatogli nella parte del Lampionaio ubriaco.

Giuseppe Nessi in the part of Bardolfo – with Stabile (Falstaff) and Silvio Maionica (Pistola). Toscanini changed nearly everyone in his Falstaffs (even Stabile with Giacomo Rimini) except Nessi's Bardolfo. Toscanini was radiant with joy during the concert rehearsals: after 25 years Nessi "had forgotten nothing" of what he had learned in the role of the drunken Lamplighter.

Giuseppe Nessi in der Rolle des Bardolfo neben Stabile (Falstaff) und Silvio Maionica (Pistola). Toscanini wechselte fast alle in seinen Falstaffaufführungen aus (Stabile gegen Giacomo Rimini), jedoch nie Bardolfo di Nessi. Während der Konzertproben strahlte der Maestro: nach 25 Jahren hat Nessi "nie etwas vergessen", was ihm in der Rolle des betrunkenen Lampionaio beigebracht wurde.

Quella sera debuttò alla Scala una stella: Renata Tebaldi (nella foto seduta con il Sovrintendente Ghiringhelli). Dopo averle fatto un'audizione nella famosa Sala Gialla, Toscanini disse soltanto: "Dovremo tener d'occhio questa ragazza."

That evening a rising star, Renata Tebaldi, made her debut at the Scala (seated here with Ghiringhelli). After auditioning her in the famous Sala Gialla, Toscanini simply said, "We should keep an eye on this girl."

Am selben Abend debütierte an der Scala ein Star: Renata Tebaldi (auf dem Foto im Sitzen mit dem Intendanten Ghiringhelli). Nachdem sie im berühmten gelben Saal vorgesungen hatte, sagte Toscanini nur noch: "Wir müssen dieses Mädchen im Auge behalten."

Il programma del concerto, stilato da Toscanini, era un inno al riscatto e all'orgoglio nazionale, attraverso le opere immortali di quattro compositori emblematici: Rossini, Verdi, Puccini e Boito (escluso Rossini, tutti ammiratori del direttore d'orchestra Arturo Toscanini).

The programme Toscanini drew up was an anthem to liberation and to national pride that drew on the immortal works of four emblematic composers: Rossini, Verdi, Puccini and Boito (all, apart from Rossini, admirers of Arturo Toscanini).

Das Konzertprogramm, das von Toscanini aufgestellt wurde, war eine Hymne an die Freiheit und an den nationalen Stolz durch die unsterblichen Opern von vier emblematischen Komponisten: Rossini, Verdi, Puccini und Boito (mit der Ausnahme von Rossini, alle Bewunderer des Dirigenten Arturo Toscanini).

Toscanini in pellegrinaggio
davanti alla casa natale
di Giuseppe Verdi alle Roncole
di Busseto, attorno a lui
la compagnia del *Falstaff*
diretto nel teatrino di Busseto.
Toscanini venerava Verdi,
e lo conobbe a Genova.
Nel suo portafogli teneva solo
un biglietto ("Grazie, grazie,
grazie"). Era la gratitudine
di Verdi dopo il suo primo
Falstaff, 1899.

Toscanini on pilgrimage
to Giuseppe Verdi's birthplace
in Roncole di Busseto,
photographed outside
the house. Grouped around him
are members of the company
which performed Falstaff
in the local theatre in Busseto.
Toscanini venerated Verdi
and met him in Genoa.
He carried a note from him
in his wallet expressing
Verdi's gratitude ("Thank
you, thank you, thank you")
after Toscanini's first Falstaff
in 1899.

Toscanini auf Pilgerfahrt vor
dem Geburtshaus Verdis bei
Roncole, Busseto, um ihn
herum die Compagnie des
Falstaff, den er im kleinen
Theater von Busseto dirigierte.
Toscanini vergötterte Verdi
und lernte ihn in Genua
kennen. In seiner Brieftasche
behielt er einzig ein Billett
mit der Aufschrift ("Danke,
danke, danke"). Es war die
Dankbarkeit Verdis nach
seinem ersten Falstaff 1899.

Arturo Toscanini con Giacomo
Puccini, il drammaturgo David
Belasco e il Sovrintendente
del Met, Giulio Gatti Casazza,
ai tempi della "prima"
di *Fanciulla del West*. Toscanini
con l'esecuzione di *Manon
Lescaut* alla Scala nel '23 fece
scrivere a Puccini: «Tu
mi hai dato la più grande
soddisfazione della mia vita.
Tu hai reso questa mia musica
con una poesia, con una
souplesse e una personalità
irraggiungibili.»

*Arturo Toscanini with Giacomo
Puccini, the playwright David
Belasco, and the general
manager of the Metropolitan
Giulio Gatti Casazza around
the time of the premiere
of* La Fanciulla del West.
After conducting Manon
Lescaut *at La Scala in 1923,
Puccini wrote to Toscanini,
"You have given me the greatest
satisfaction of my life. You
have imbued my music with
an impossible degree of poetry,
suppleness and personality."*

*Arturo Toscanini mit Giacomo
Puccini, dem Dramaturgen David
Belasco und dem Intendanten
der Met, Giulio Gatti Casazza
zu Zeiten der "Premiere" der
Fanciulla del West. Toscanini
bei der Aufführung der Manon
Lescaut in der Scala '23 ließ
Puccini Folgendes schreiben:
„Du hast mir die größte
Genugtuung meines Lebens
gegeben. Du hast meine Musik
mit Poesie, Geschmeidigkeit
und einer unerreichbaren
Persönlichkeit versehen"*

L'attesa per il concerto mosse una folla straripante (qui la calca per l'ingresso in Loggione). «Era gente minuta, erano operai, artigiani, piccoli bottegai: tutta la famiglia con i ragazzi, e le donne avevano in braccio bambini che dormivano» (Filippo Sacchi, *Toscanini*, 1951).

The long wait for the concert engendered an enormous crowd (the photo shows the crush of people waiting to get into the Loggione). "They were people of modest means: workmen, craftspeople, small shopkeepers, the whole family with the kids, the women with sleeping babes in arms." (Filippo Sacchi, Toscanini, 1951).

Das Warten auf das Konzert hat eine riesige Menschenmenge bewegt (hier das Gedränge am Eingang zu den Emporen). „Es waren bescheidene Personen, Arbeiter, Handwerker, Kaufleute: die ganze Familie mit den Kindern, und die Frauen hatten Kinder in den Armen, die schliefen." (Filippo Sacchi, Toscanini, 1951).

«Gente venuta da tutta
la città non solo si assiepò
davanti alla Scala, ma
si sedette sul sagrato
del Duomo per ascoltare
il concerto dagli altoparlanti»
(F. Sacchi). La Radio Italiana
trasmetteva il concerto
in diretta in tutto il Paese.

*"People who came from
all across the city not only
thronged the area in front
of La Scala, they also sat
on the steps of the cathedral
to listen to the concert
on loudspeakers" (F. Sacchi).
Italian radio broadcast
the concert live to the whole
country.*

*„Leute, die aus der ganzen
Stadt kamen, drängten sich
nicht nur vor der Scala, sondern
setzten sich auch auf den
Domplatz, um sich das Konzert
von den Lautsprechern aus
anzuhören" (F. Sacchi). Das
italienische Radio übertrug das
Konzert live im ganzen Land.*

Alle 21 in punto il concerto
cominciava. In camerino
Toscanini disse a Ghiringhelli:
"Senta come batte –
portandogli la mano al cuore
– colpa di questa maledetta,
benedetta Scala" (F. Sacchi).

*The concert started at 9pm
on the dot. In his dressing room
Toscanini said to Ghiringhelli:
"Feel how it beats (bringing
the other's hand to his heart)...
because of this damned, blessed
Scala" (F. Sacchi).*

*Um punkt 21 Uhr begann das
Konzert. In der Garderobe sagte
Toscanini zu Ghiringhelli:
„Spüren Sie wie es schlägt – in
dem er seine Hand an sein
Herz brachte – es ist die Schuld
dieser verfluchten, gesegneten
Scala" (F. Sacchi).*

Una parte della platea
e dei palchi in attesa
dell'inizio del concerto.
Nel palco centrale (non più
Reale) furono invitati, per
volere espresso di Toscanini,
alcuni ospiti della Casa
di riposo "Giuseppe Verdi"
di Milano.

Part of the stalls and the boxes
just before the start of the
concert. Occupying the central
box (no longer the royal box)
were some guests from the
"Giuseppe Verdi" Nursing
Home in Milan, who had been
expressly invited at Toscanini's
request.

Ein Teil der Zuschauer des
Parketts und der Logen
erwarten den Beginn des
Konzerts. In der zentralen Loge
(zu dieser Zeit keine königliche
Loge mehr) wurden auf Wunsch
von Toscanini einige Gäste des
Altenheims «Giuseppe Verdi»
von Mailand eingeladen.

Dopo la sera dell'11 maggio
'46, il decano dei critici
musicali, Eugenio Gara,
scriveva: «Entri e ti appare
un essere senza età, forse
giovane, probabilmente
eterno...»

*After the evening of 11 May
1946, the doyen of music critics,
Eugenio Gara, wrote: "Enter
and you will be faced with
an ageless being, perhaps
young, probably eternal..."*

*Nach dem Abend des 11. Mai
'46, schrieb der Doyen der
Musikkritiker Eugenio Gara:
„Du kommst rein und es
erscheint dir ein Mensch ohne
Alter, möglicherweise jung,
eventuell unsterblich..."*

«Ha in mano una bacchettina, proprio come gli stregoni delle fiabe…»

"He holds a small wand, just like the witches in fairytales…"

„Er hat einen kleinen Stab in der Hand, genauso wie Hexen in Märchen…"

«Saluta, ringrazia
degli applausi,
poi, quattro ghirigori, quattro
rabeschi lievi…»

*"He nods to the audience,
thanks them for the applause,
then with four twirls, four small
flourishes…"*

*„Er grüßt, bedankt sich
für den Applaus, danach
vier Schnörkel, vier leichte
Verzierungen…"*

«E tu non hai più memorie dolorose, ogni pena è svanita, guerre e distruzioni cancellate.»

"And your painful memories are gone, every affliction has disappeared, war and destruction has been wiped out."

„Und du hast keine schmerzhaften Erinnerungen mehr, jedweder Kummer ist verschwunden, Kriege und Zerstörungen aus dem Gedächtnis gelöscht."

«Toscanini, più che
richiamato, alla fine
del concerto, non fu fatto
semplicemente andare
via, non lo mollavamo:
rimaneva là e così noi tutti,
rimanevamo tutti là»
(Nicola Benois).

*"Toscanini wasn't so much
called back on stage at the end
of the concert, he simply wasn't
able to leave. They wouldn't let
him go: he stayed where he was
and so we all just stayed there"*
(Nicola Benois).

*„Toscanini, wurde am Ende
des Konzerts nicht erneut auf
die Bühne gerufen, man ließ
ihn nicht gehen, wir ließen
ihn nicht in Ruhe: er blieb hier
und dort bei uns, wir blieben
alle dort" (Nicola Benois).*

«Quando vidi il pubblico,
quando sentii gli applausi,
compresi che quel concerto,
al quale la buona sorte
mi aveva fatto partecipare,
assumeva un valore "storico"»
(Renata Tebaldi).

*"When I saw the audience,
when I heard the applause,
I realized that this concert,
which I was involved in by
some stroke of luck, was taking
on a "historic" significance"
(Renata Tebaldi).*

*„Als ich das Publikum sah,
als ich den Applaus hörte,
verstand ich, dass dieses
Konzert, an dem ich das Glück
hatte teilnehmen zu dürfen,
einen historischen Wert
annahm." (Renata Tebaldi).*

Con il concerto del 16 maggio 1945, "El Tosca", come lo chiamava l'amico e poeta milanese Delio Tessa, "riconsacrava" il teatro alla musica e Milano alla vita civile. Finito il concerto, la nebbia, cara ai milanesi, poteva riavvolgere il suo teatro.

With the concert of 16 May, "El Tosca", as his Milanese friend and poet Delio Tessa called him, "reconsecrated" the Teatro alla Scala to music and Milan to civilian life. With the concert at an end, the fog that is such an intimate part of Milanese life, could once again envelop its opera house.

Mit dem Konzert am 16. Mai 1945, "El Tosca", wie es der Freund und mailänder Dichter Delio Tessa nannte, wurde das Theater wieder zur Musik und Mailand zum zivilisierten Leben zurückgebracht. Als das Konzert zu Ende war, konnte der Nebel, mit dem die Mailänder bestens vertraut sind, das Theater wieder einhüllen.

TOSCANINI

TEATRO ALLA SCALA
LA RIAPERTURA / THE REOPENING / DIE WIEDERÖFFNUNG

LIBRETTO CD

CD BOOKLET

CD BEIHEFT

Compositore *Composer* *Komponist*	Opera *Opera* *Oper*		Interpreti *Performers* *Interpreten*	Durata *Duration* *Dauer*
CD 1				
1 Rossini	La Gazza Ladra	Ouverture		9:28
2 Rossini	Guglielmo Tell	Coro dell'Imeneo	Mafalda Favero, Jolanda Gardino, Giovanni Malipiero, Tancredi Pasero	19:39
3 Rossini	Guglielmo Tell	Danze dell'opera (passo a sei atto I – ballabile dei soldati atto III)		24:33
4 Rossini	Mosè	Preghiera	Renata Tebaldi, Jolanda Gardino, Giovanni Malipiero, Tancredi Pasero	4:58
5 Verdi	Nabucco	Ouverture		7:07
6 Verdi	Nabucco	Va pensiero – Coro degli schiavi		4:48
7 Verdi	I Vespri siciliani	Ouverture		8:54
CD 2				
1 Verdi	Te Deum			15:01
2 Puccini	Manon Lescaut	Intermezzo e Atto III	Mafalda Favero, Giovanni Malipiero, Giuseppe Nessi, Mariano Stabile, Carlo Forti	19:32
3 Boito	Mefistofele	Prologo	Tancredi Pasero	24:40
DURATA TOTALE / TOTAL TIME / GESAMTDAUER				108:00
Orchestra e Coro del Teatro alla Scala Milano, 11 maggio 1946				